CW00549668

ANOCHECER DEL SICARIO

LA ÚLTIMA BATALLA DE RAMONA Y RAFAEL

VESTA ROMERO

ANOCHECER DEL SICARIO

Copyright © 2023 by Vesta Romero

Todos los derechos reservados.

Queda prohibida la reproducción total o parcial de este libro en cualquier forma o por cualquier medio electrónico o mecánico, incluidos los sistemas de almacenamiento y recuperación de información, sin el permiso escrito de la autora, excepto para el uso de breves citas en una reseña literaria.

PRÓLOGO

omenzó con el **Ascenso del Sicario:**

¿VIGILANTISMO O JUSTICIA CALLEJERA?

¡Prepárate para un thriller de infarto que te dejará al borde de tu asiento! Cuando Ramona, una inocente transeúnte, se encuentra en el lugar equivocado en el momento equivocado, es testigo del secuestro de una niña.

Prometiéndole que la salvaría al sexy hombre que resulta ser el tío discapacitado de la niña, las cosas toman un oscuro giro cuando ambos acaban siendo secuestrados. Para sobrevivir, debe confiar en su entrenamiento e ingenio para enfrentarse a dos asesinos despiadados.

Se ve obligada a desatar su estilo de justicia por mano propia. Esta apasionante historia de supervivencia, justicia y amor potencial la cambiará para siempre.

SEGUNDO

Siguió con **Misión del Sicario:**

Pasión. Lujuria, venganza y el baile de las sombras.

Ramona y Rafael se embarcan en una alianza electrizante, su ardiente pasión enciende un romance tempestuoso entrelazado con sus persecuciones vengativas.

A medida que se entrelazan en la traicionera red del imperio de un mafioso, sus cuerpos y almas se funden, y cada encuentro es una tentadora danza de deseo y anticipación.

Su amor se convierte en un arma secreta, y juntos se convierten en una fuerza imparable, sacando fuerzas de su pasión y lujuria.

No sólo tratan de vengar el trágico destino de la hermana de Rafael, sino que también ansían desatar su propia marca de cruda justicia callejera, preparando el escenario para un enfrentamiento épico contra Colda, el mafioso disfrazado de filántropo.

Su viaje te dejará sin aliento y con ganas de más.

TERCERO

Termina con el **Anochecer del Sicario:**

Ramona y Rafael se embarcan en una arriesgada misión para seguir a Colda, sólo para enfrentarse a un desafío inesperado cuando descubren a la hija secreta de Colda, poniendo una línea divisoria en sus planes.

Se infiltran en su espléndida mansión, preparando el escenario para un emocionante enfrentamiento. Ramona se ve envuelta en un apasionante enfrentamiento con Colda, en el que aplica su propio estilo de venganza mientras contempla su futuro con Rafael y su pequeña familia.

¿Marcará este monumental encuentro el final de su estilo de vida como justiciera, señalando el ocaso de su papel como protectora de la noche?

1

RAMONA

Por fin Colda había vuelto a la ciudad y podíamos seguir adelante con nuestros planes. Averiguar dónde vivía nos había llevado bastante tiempo. No era raro que se alojara en hoteles a pesar de que tenía una casa en la ciudad.

Según nuestras observaciones, parecía que prefería entretener a sus chicas menores de edad y prostitutas fuera de su casa. Sin embargo, después de algún tiempo, nos dimos cuenta de un patrón. Había ciertos días del mes que pasaba exclusivamente en casa.

Como arquitecta de profesión y vocación, a Ramona siempre le habían fascinado los diferentes diseños y estructuras de los edificios. Ella había pasado mucho tiempo diseñando y construyendo diversos edificios como parte de sus prácticas y trabajos universitarios.

Ella no estaba en el ayuntamiento por su trabajo. Estaba allí para robar los planos de la inmensa casa de Cold Crater. Estaba nerviosa, lo cual era comprensible. Si la descubrían, tendría que dar muchas explicaciones e incluso podría perder su trabajo.

Eso dificultaría su progreso, ya que necesitaba el dinero para financiar su misión.

Para poder llegar hasta Colda, tenían que conocer el terreno, ya que habían decidido que el mejor lugar para atacarle era su casa. Por lo tanto, era vital que conocieran todos los rincones.

Él no se había percatado del hecho que su punto más débil era el lugar donde menos esperaba ser atacado. Hacer la jugada en cualquier otro lugar era imposible, ya que se movía con un ejército formidable. Uno mucho más emparejado trabajaba durante la noche en su mansión.

Ramona entró en el Ayuntamiento, que le resultaba familiar, y se dirigió directamente al departamento de permisos de construcción. La recibió un amable empleado que le preguntó qué necesitaba después de charlar un poco.

Ella le explicó al empleado, quién había estado aburrido hasta ese momento, que sólo necesitaba ver los planos de un edificio. La expresión de admiración de aquel hombre desapareció y volvió a su estado de aburrimiento.

El empleado miró a Ramona con curiosidad un momento antes de responder, "lo siento, señorita, no puedo darle los planos del edificio de alguien sin su permiso".

"Entiendo", dijo Ramona, intentando mantener la calma.

"Debería haber empezado diciendo que soy arquitecta, nueva y que intento encontrar inspiración porque el propietario quiere un duplicado exacto de esta casa que construyó mi empresa".

El empleado miró a Ramona un momento antes de asentir. "De acuerdo, le creo. Pero tendrá que rellenar unos papeles y pagar una pequeña tasa antes de que pueda darle acceso a los planos".

Ella sonrió y mostró su carnet de conducir, y el empleado anotó obedientemente sus datos y ella pagó la pequeña tasa.

Su trabajo le aburría, y no le interesaba conocer los aburridos detalles.

Todos esos planos y grandes papeles significaban una mierda para él, y nada le aburría más que cuando los cerebritos hablaban de eso. Él pensó que esa chica tan guapa debería tener un buen trabajo, como aeromoza de vuelo o algo parecido. Qué desperdicio que su belleza haya sido opacada por tan infortunado e innecesario trabajo.

La dirigió a la zona adecuada para que pudiera acceder a los archivos informatizados y volvió rápidamente a leer su revista.

Ramona se había dado cuenta de que sólo era la portada de una revista porno porque vio a una mujer desnuda posando seductoramente boca abajo antes de que él se percatara de ella lo había visto. Se permitió una pequeña sonrisa. Probablemente él no se acordaría de ella.

Ella también sabía que los registros de permisos de construcción estaban disponibles para todos los edificios comerciales y residenciales. Los planos, sin embargo, necesitaban la autorización del propietario, además de la del arquitecto o ingeniero.

Como no tenía ninguno de los dos, había buscado en

los archivos de su empresa hasta localizar una casa cercana a la de Colda que había sido diseñada por ellos. Eso fue lo que solicitó.

Buscó y localizó la dirección de la casa en cuestión y se aseguró de dedicar varios minutos a estudiarla para que su misión pareciera legítima. Luego sacó rápidamente los planos de la casa de Colda.

Asegurándose de no ser observada, sacó su teléfono e hizo rápidas capturas de pantalla de cada página hasta que estuvo segura de que lo tenía todo antes de volver a centrar su atención en la casa original.

Estuvo allí más de una hora y se aseguró de buscar también un par de planos de casas más para mezclarlo todo en caso de que alguna vez rastrearan algo hasta ella.

Ramona dio las gracias al vigilante al salir, pero éste apenas la saludó, salvo con un gruñido, mientras ella salía por la puerta. Una vez en casa, ella y Rafael estudiaron los planos en detalle después de que ella los imprimiera.

Mientras ella estudiaba los planos, quedó impresionada por el diseño del edificio. Estaba claro que se había construido para ser funcional y estéticamente agradable.

Al examinar los planos con más detenimiento, Rafael notó algo extraño, pero no desconocido para él. Durante su estancia en el ejército, parte de sus misiones consistían en conocer los cuartos de las mansiones, que a menudo incluían habitaciones seguras como esta.

Había una habitación secreta marcada en los planos, oculta tras una pared falsa junto al despacho principal.

Era una información crucial. Necesitarían conocer los hábitos nocturnos de Colda. Ella tendría que atacar después de que él se hubiera ido a la cama, porque si tenía la oportunidad de entrar en la habitación segura, nunca podrían forzarla.

El resto de la casa era normal, aunque con un número increíble de habitaciones.

La suite principal estaba en el primer piso, y era enorme. A Rafael le pareció curioso que no hubiera una segunda habitación segura junto a la principal.

En voz baja dijo que si la decisión hubiera sido suya él habría puesto una adicional.

"Quizás se sienta lo suficientemente seguro como para no necesitar una, mejor para nosotros".

"Así que lo más probable es que sus mejores guardias estuvieran cerca de la habitación". Frunció el ceño, pero no expresó su preocupación.

Llegar a Colda era muy distinto que llegar a Vance, y además él tenía ventaja, ya que era su casa.

Ramona se dio cuenta de la mirada y le apretó el brazo. "Estaremos listos", dijo con una pequeña sonrisa. Le calentaba el corazón que él estuviera tan preocupado, pero ella creía en su entrenamiento y en el de ella.

Nunca podría vivir consigo misma si no intentaba detener a esas malditas ratas.

Ahora que disponían de los planos, podían concentrarse en la mejor manera de infiltrarse en la mansión.

2

RAFAEL

*L*levaba meses investigando a fondo sobre el ejército israelí y las técnicas de combate cuerpo a cuerpo que utilizaban.

Los dos principales guardaespaldas de Colda eran ex soldados del ejército israelí, y sabía que serían nuestros retos más difíciles.

Habiendo oído hablar de ellos y sabiendo que estaban entre los más rudos del mundo, si no los más feroces, no me sorprendió verlos de pie junto a Colda.

Había una tarea que cumplir y era acabar con ellos. Así que, para prepararme, necesitaba conocer de primera mano las tácticas empleadas por los israelíes.

A través de Manny, el dueño del gimnasio, descubrí a Moshe, un ex soldado que había dejado el ejército hacía años y había abierto un dojo de artes marciales en la ciudad.

Moshe no solía aceptar a gente que no conociera, así que fui con Manny para que me presentara y se asegurara de que sabía quién era. Moshe accedió a aceptarme como alumno.

"Recuerde," Moshe me dijo en esa primera reunión. "Puedo enseñarle Krav Maga, pero usted debe aprender cómo usarlo apropiadamente en situaciones diferentes. Es aprender a defenderte a ti mismo y a los demás en situaciones de la vida real."

Durante las semanas siguientes, Rafael entrenó con Moshe, esforzándose al límite cada día. Aprendió a desarmar a un adversario con un cuchillo, a desviar un puñetazo y a utilizar el entorno en su beneficio.

Aprendió a ser consciente de su entorno y a anticiparse a los movimientos del adversario.

Sus habilidades militares estaban bien perfeccionadas, pero aún tenía que adaptarse a algunas distinciones cruciales. Pasó incontables horas estudiando Krav Maga israelí y otras técnicas de artes marciales en videos aparte del entrenamiento.

Un día, mientras miraba videos de manera aleatoria, se dio cuenta de que uno de los guardaespaldas de Colda aparecía en un video sugerido.

Rafael sintió que se le formaba un nudo en el estómago después de verle en acción. Se dio cuenta de que para tener alguna posibilidad de dominar a ese asesino, su entrenamiento debía ser de un nivel superior.

Expresó sus dudas a Moshe, que pudo ver la determinación en sus ojos, y asintió.

"Trabajaremos más duro", le había dicho Moshe. "Aprenderás algunas técnicas nuevas que te ayudarán a derribar incluso al adversario más hábil". Sólo le quedaba esperar que fuera cierto.

Rafael aumentó la intensidad de su entrenamiento y trabajó aún más duro de lo que lo había hecho nunca. Practicando durante horas y horas, le dolían los músculos y tenía la mente agotada. Volvió a casa y le enseñó los movimientos a Ramona, a pesar de todo. No podía fallarle.

En circunstancias normales, Ramona también se habría unido al entrenamiento. Sin embargo, habían decidido que él aprendería primero y luego sería él quien le enseñaría a ella.

Ambos aprendiendo a la vez podrían haberse hecho preguntas para las que no tenían respuesta. Tenía que mantener la tapadera de un ex militar que quería abrir un negocio de guardaespaldas.

Ramona estaba determinada a ganar tanto conocimiento y habilidad como fuera posible en Krav Maga, cuando ella supo que podría significar la diferencia entre la vida y la muerte. Ella también esperó que nunca se encontrara con aquel tipo.

Juntos, ellos pasaron todos los periodos de tiempo disponibles practicando sus habilidades. Aún se hacían tiempo para visitar al padre de Ramona y a Lilly. La niña se había hecho muy amiga del abuelo, como lo llamaba desde que se mudó. En las ocasiones en que hablaba con Lilly, la niña se aseguraba de mantenerla al corriente de sus rutinas diarias.

Ella y él compartían muchos intereses a pesar de la diferencia de edad. Una de sus actividades favoritas era trabajar en el jardín comunitario, lleno de flores y verduras.

Pasaban horas cuidando las plantas, escardando,

regando y abonando. El abuelo enseñaba a Lilly las diferentes plantas y cómo cuidarlas. A menudo se sentaban juntos en el jardín, disfrutando de la paz y la naturaleza en calma.

Todo el vecindario conocía y aceptaba a Lilly como a una más. Rafael era consciente de lo mucho que echaba de menos a su madre y daba gracias por tenerlos a ellos como apoyo emocional.

Otra pasión que compartían era la cocina. El abuelo era un excelente cocinero y a menudo les preparaba deliciosas comidas. A Lilly le encantaba ayudarle, cortando verduras e iniciando la preparación de las comidas.

Hablaban y reían mientras cocinaban, creando recuerdos que durarían toda la vida. A Lilly le traía hermosos recuerdos de su madre y el abuelo le aseguraba que su madre la cuidaba y estaba orgullosa de ella.

Por las tardes, se sentaban juntos a ver películas cuando ella terminaba los deberes. Al abuelo le encantaban las películas clásicas y le presentaba a Lilly sus favoritas. Se acurrucaban en el sofá, con un bol de palomitas entre los dos, y se perdían en el mundo del cine. Ramona, al igual que Lilly, había experimentado lo mismo.

Al padre de Ramona también le gustaba contarle historias de su infancia. Le contaba sus aventuras y percances, y Lilly se aferraba a cada palabra. Le encantaba oír cómo era la vida en aquella época, y sentía que estaba vislumbrando un mundo diferente.

Su vínculo era fuerte y siempre estaban ahí el uno para el otro. Cuando Lilly estaba triste, él la abrazaba y le decía que todo iría bien. Cuando el padre de Ramona se sentía mal, Lilly le animaba con un chiste tonto, una cara graciosa o una historia.

La propia Lilly sabía que tenía suerte de tener una relación tan estrecha con su abuelo. Para ella era algo más que un abuelo sustituto, era su amigo y confidente.

Su relación era inquebrantable y Rafael sabía que era afortunado. Habría sido difícil cuidar de Lilly él solo. Oír todo esto a través de Ramona lo entristecía siempre porque deseaba poder estar allí para verlo con sus propios ojos.

Cuando la misión estuviera completa, él y Ramona trabajarían para cambiar sus vidas.

3

RAMONA

*N*adie tenía que decirme que el trabajo secundario que había elegido era peligroso. En mi trabajo regular tenía que llevar varios sombreros.

Mis tareas clave de reunirme con clientes, investigar, crear conceptos, diseñar planos y especificaciones y gestionar la construcción se consideraban una hazaña impresionante para una recién licenciada.

El trabajo resultó desafiante y gratificante a la vez, con un ritmo bastante rápido. Me encantaba utilizar mis conocimientos técnicos y mi creatividad.

En la escuela teníamos que imaginar cosas, a diferencia del trabajo, donde podíamos poner nuestra imaginación a trabajar en proyectos de la vida real. Empecé trabajando en el grupo de arquitectos junior de la empresa y aprendí mucho en poco tiempo.

Un socio mayoritario se había interesado por mi trabajo y se pasaba a menudo por allí para comprobar mis progresos, a menudo gruñendo mientras lo hacía. Rainn era una persona dura y gruñona, y casi nunca hablaba con ninguno de nosotros.

Un día me llamó a su oficina. Me asusté mucho porque pensé que iba a reprenderme por algo que había hecho mal. ¿Un error de cálculo, tal vez? Eso podía ser desastroso.

A los jóvenes nos solían encargar el trabajo sucio, las tareas desagradables que los mayores consideraban indignas de ellos.

En ese momento, los nervios se apoderaron de mí y mis compañeros me miraron con lástima, como si fuera un borrego llevado al matadero.

Sin embargo, en lugar de desanimarme, me dio un discurso motivador, destacando mis capacidades y diciéndome que siguiera trabajando duro. Sus gruñidos habían sido favorables, concluí, y me alegré.

Me dio una visión de su propia carrera, compartiendo historias y las valiosas lecciones que había aprendido a través de sus experiencias.

Decir que me sorprendió pudo haber sido una subestimación de mi parte. Cuando recuperé la compostura, le expresé mi más sincera gratitud. Me tomó bajo su protección y me dio más responsabilidades.

No era raro que me invitara a participar en reuniones con clientes y contratistas, e incluso a veces me pedía mi opinión. Mis compañeros sentían envidia, pero eso les impulsaba a trabajar más.

Este hombre mayor se convirtió en mi mentor. Se lo agradecí y me esforcé por estar a la altura de sus expectativas. Mi confianza creció, al igual que la calidad de mi trabajo. Últimamente me había concedido más libertad de acción, a medida que aumentaba su confianza en mí, y yo se lo agradecía.

Desde el principio había aceptado que mi vida como sicario iba a terminar, de buena o mala manera.

En caso de seguir con vida, quería tener este fantástico trabajo como plan de contingencia. Mi ambición siempre había sido crear una estructura que resistiera el paso del tiempo y fuera un monumento duradero.

Durante los últimos meses, había estado compaginando mi peligroso trabajo nocturno con ser arquitecto y descuidando a Lilly y a mi padre, muy a mi pesar.

Me sentía culpable porque ellos se merecían algo mejor. A veces mi padre se daba cuenta de que parecía cansada o apática cuando me pasaba por casa y me instaba a que le contara algo.

No podía. El trabajo diario era siempre lo primero a lo que echaba la culpa de todo lo que iba mal.

Fue una lucha, pero al final lo conseguí. Mi padre tenía una red de contactos y amigos que ayudaron a mantener a Lilly a salvo mientras Rafa y yo hacíamos lo nuestro.

Lilly era muy considerada. Quería a su "abuelo", al vecindario y tenía unos cuantos amigos. Era un alivio que el suceso anterior no la hubiera dejado demasiado afectada.

Sus pesadillas eran cada vez menos frecuentes. Mi padre merecía todo el crédito por ese logro.

Hubo momentos en los que se me pasó por la cabeza la idea de dejarlo y limitarme a estar allí como hija y madre sustituta, pero sabía que, si lo hacía, seguirían corriendo peligro.

Cuantas más cosas sabíamos sobre Colda, más me

daba cuenta de que nunca podríamos alejarnos. ¿Cuántas vidas había arruinado o dañado? No sólo a los niños que secuestró, sino a las familias afligidas que dejó a su paso.

Dejaba a los padres en la agonía, sin saber qué les había pasado a sus hijos y con la ley incapaz de localizarlos a todos, no tenían más remedio que sufrir.

Había un pequeño problema que podía complicar nuestros planes. Habíamos descubierto recientemente que Colda tenía una hija de la que sabíamos muy poco. La había mantenido bien oculta. Ni siquiera estábamos seguros de su edad. La habíamos descubierto por casualidad una noche que habíamos vigilado su casa.

La joven había sido conducida hasta allí y fue introducida en la casa a toda prisa, lo que nos hizo pensar que se trataba de una chica secuestrada que iba a utilizar para su sádico disfrute.

Hizo falta todo el poder de persuasión de Rafael para evitar que yo saliera del auto y disparara contra el lugar.

En retrospectiva, habría sido una gran tontería, porque menos de dos horas después, ella salió, seguida de Colda, que la abrazó fuerte y ella le llamó papá. Desde nuestro punto de vista, podíamos ver que estaba abatida y triste.

Un Mercedes sedán liso y elegante había llegado a la entrada de la casa con una mujer al volante. Ella no le dijo nada, pero le hizo un gesto con el dedo del medio a Colda, que él le respondió "vete a la mierda tú también" en tono amargo.

La hija subió al auto y se despidió de su padre mientras la madre arrancaba el motor. Las ruedas del auto giraron y lanzaron gravilla hacia Colda y sus guardias mientras ella se alejaba a toda velocidad. Oímos decirle "Maldito".

Era obvio que no había amor ni cariño compartido entre ellos.

Era imperativo que hiciéramos un recorrido por el terreno. Queríamos proteger a la chica y asegurarnos de que no corría peligro de estar en la línea de fuego.

No teníamos ideas y nos sentíamos atascados sin saber cómo hacerlo.

4

RAFAEL

A medida que se acercaba el momento del ataque, asumí la responsabilidad de la operación con el mismo nivel de habilidad que tenía cuando formaba parte del ejército.

Cada incursión debía llevarse a cabo bajo un conjunto específico de reglas. El objetivo principal era obtener información mediante la recopilación de datos de inteligencia.

Estuve barajando la idea de volar un dron sobre la propiedad de Colda, pero llegué a la conclusión de que sería demasiado llamativo y podría tener un resultado negativo.

Para obtener el mejor resultado, necesitábamos que el factor sorpresa estuviera de nuestro lado.

Nuestra evaluación de riesgos estaba en constante cambio. Teníamos que investigar más a fondo cuántos más de sus soldados rasos, además de armas adicionales, podríamos encontrar. Asimismo, con la posibilidad de que su hija estuviera en el lugar, teníamos que extremar las precauciones.

Con la ayuda de los planos que Ramona pudo conseguir, pudimos recordar los puntos de entrada y salida para la misión.

Teniendo en cuenta los múltiples resultados, habíamos desarrollado planes de contingencia que podrían ponerse en marcha en caso necesario.

La idea de participar activamente con Ramona me hizo sentir mejor. No había nada como el compromiso del servicio activo después de haber estado relegado a un segundo plano y trabajando en la sombra.

No estaba especialmente seguro de que pudiera hacer algo para protegerla. Se trataba más bien de sentirme necesario y útil.

Para asegurarnos de que nuestros equipos se mantenían en las mejores condiciones posibles, los revisábamos y manteníamos con regularidad.

Los limpiábamos en zonas bien ventiladas después de cada uso y aplicábamos lubricante siempre que era necesario. Las admirables cualidades de Ramona me asombraron. Le ha tomado mucho cariño a su Glock y nunca la ha dado por sentada.

Había muchas posibilidades de que algo saliera mal, pero ella tomó todas las precauciones. No tuve dudas en entrar en combate con ella.

Ambos nos sentíamos preparados para atacar. Nuestra única duda era la niña y la frecuencia con la que se pasaba por casa de su padre.

Tuvimos un golpe de suerte mientras veíamos la televisión, oyendo hablar de un acto benéfico en casa de Colda.

No habíamos soñado que tendríamos tanta suerte. Ramona podría obtener información valiosa si conseguía entrar y examinar el interior de la casa.

Aunque el precio de las entradas era demasiado caro para nosotros, nos preguntábamos si podríamos encontrar un trabajo como parte del personal temporal necesario para ayudar con el evento ese día.

Gracias a los contactos que tenía en el pasado, pude averiguar a qué empresa de catering habían contratado para el evento.

Podía garantizar que Ramona se incorporaría como camarera con un mínimo de molestias con el pretexto de ayudar a mi prima. Era lo que hacía la gente de nuestra comunidad para echar una mano a los necesitados.

Para estar seguros, habíamos ideado un nuevo look para Ramona, esta vez con una peluca rubia oscura y un aspecto recatado más adecuado para un asunto así.

Lo más impresionante de ella era que se hacía tan olvidable. Una empleada más, a la que nadie recordaría. Eso era perfecto. Ramona disfrutó del juego de roles.

Sabiendo que algunos de los hombres de Colda podían ser peligrosos, quise tomar precauciones y la advertí sobre la situación.

Había observado a algunos de ellos junto a Vance y si él podía cometer atrocidades, ellos eran igual de capaces.

5

RAMONA

*R*afa y yo habíamos ideado el nombre de Día D para nuestra operación y pensé en esto como un ensayo de la misma. Nerviosa pero ansiosa porque habíamos pasado mucho tiempo recopilando información, quería algo de acción.

La alegría de avanzar hacia nuestro objetivo era una sensación satisfactoria. Durante cuatro días, había estado entrenando con la empresa de catering durante ocho horas para prepararme para el puesto, bajo el alias de una joven llamada Talia.

Siempre había creído que aprendía muy rápido, así que cuando me pidieron que me formara como camarera para el evento, pensé que sería sencillo.

Al no tener experiencia previa como servidora, había supuesto, por error, que no sería demasiado difícil. Al ser arquitecto y asesino, era una persona única, o eso creía.

No tardé en darme cuenta de que me esperaba un reto. Los demás aprendices vestían de blanco y negro y llevaban el pelo recogido en moños apretados. Se movían con una gracia y una fluidez con las que yo sólo podía soñar.

La señora Jenkins, la instructora de aspecto severo, no aprobaba mi atuendo, que consistía en unos vaqueros, una camisa de flores y el pelo suelto.

No perdió el tiempo y nos puso a prueba. Aprendimos a sostener una bandeja de vasos sin derramarlos, a equilibrar los platos con una mano mientras servíamos con la otra y a movernos por una sala abarrotada sin chocar con nadie.

No es de extrañar que me resultara difícil seguir el ritmo de las exigencias, con los dedos torpes y lerdos mientras intentaba servir a invitados imaginarios. Se rompieron muchos vasos, se derramó comida e incluso tropecé con mis propios pies.

A la señora Jenkins no parecía gustarle la situación. "No estás hecha para esto, querida", me dijo más de una vez, con una voz que destilaba desprecio. "Tal vez deberías considerar otra línea de trabajo".

Ese fue el factor decisivo que lo cambió todo. Aquella vieja chiflada no iba a poder conmigo. Practicaba cada momento libre, lo que no era fácil teniendo en cuenta todo lo demás que ocurría en mi vida normal.

Me dolían las manos de hacer malabarismos con vasos y platos. Observaba a los demás aprendices y trataba de captar consejos y trucos que pudieran ayudarme a mejorar. Me arrepentí de mi exceso de confianza. Era un trabajo agotador que requería mucho esfuerzo físico.

Después de lo que me pareció una eternidad, llegó el fatídico día de la prueba. Respirando hondo, me puse el uniforme blanco y negro que me habían proporcionado, sintiendo un poco de nervios.

Sujeté la bandeja con cuidado mientras entraba en el salón de baile. Aunque había visto el tamaño del salón en los planos de la casa, el espacio seguía sorprendiéndome.

La idea de que un sólo individuo habitara un espacio tan amplio era difícil de comprender, pero sólo podía suponer que, con toda la riqueza mal habida, podía permitirse el gasto.

Al principio, todo fue bien. Serví bebidas y aperitivos, con movimientos suaves y seguros.

El salón de baile estaba lleno de invitados adinerados con sus mejores galas, todos esperando el comienzo del acto benéfico organizado por el pomposo hombre del momento, Colda Crater.

Mientras los invitados se acomodaban en sus asientos, Colda subió al escenario con un traje a medida y una amplia sonrisa de satisfacción. Comenzó su discurso con gran decoro, dando la bienvenida a todos a su evento y agradeciéndoles sus generosas donaciones.

Colda era un fanfarrón, más interesado en hablar de sí mismo que de la organización benéfica que llevaba su nombre. Se lanzó a un largo monólogo sobre sus propios logros, dándose palmaditas en la espalda por su éxito empresarial, su estatus social y su gusto impecable.

"¡Qué imbécil!" Se me revolvía el estómago con cada palabra que salía de sus labios.

Mientras hablaba, noté que los invitados se movían en sus asientos, intercambiando miradas incómodas. Habían venido a apoyar la obra benéfica, no a escuchar a Colda presumir de sus propios logros.

Colda, sin embargo, era ajeno a su fastidio. Siguió parloteando, enumerando sus muchos reconocimientos y logros, e incluso atribuyéndose el éxito de la propia organización benéfica.

Tras lo que pareció una eternidad, Colda concluyó su discurso con un recato autocomplaciente. El público aplaudió con cortesía, pero se sintió aliviado de que el discurso hubiera terminado. Yo también.

Mientras los invitados empezaban a mezclarse y a disfrutar del resto de la velada, Colda disfrutaba de la atención y la admiración de sus compañeros. No creo que tuviera ni idea de cómo le percibían. Además de todo lo demás, era un narcisista de manual.

Sin embargo, a medida que avanzaba la noche, la sala se iba llenando y los invitados se volvían más exigentes.

Mi bandeja pesaba cada vez más y me dolían los pies de tanto caminar y estar de pie. En un momento dado, tropiezo y casi se me cae toda la bandeja, lo que hace que varios clientes se giren y me miren.

Mi cara se puso roja de vergüenza, sobre todo porque sabía que la señora Jenkins estaba observando todos mis movimientos.

Entonces ocurrió algo extraño. Una invitada, una mujer mayor de rostro amable, se apiadó de mí.

"No te preocupes cariño", me dijo dándome palmaditas en la mano. "Todo el mundo tiene que empezar por algún sitio. Ya aprenderás el truco".

Sentí una oleada de gratitud, enderecé los hombros y continué con mis tareas después de respirar hondo y tranquilamente.

Debido a la multitud, pasó mucho tiempo antes de que

pudiera pasar desapercibida y ocuparme de mi verdadero propósito. Cuando estuve segura de que nadie me prestaba atención, con sigilo, subí las escaleras sinuosas y curvas que me ocultaban a la vista y, al cabo de poco tiempo, me encontraba en el primer piso.

Abriéndome paso, mantuve los ojos y los oídos abiertos, moviéndome con rapidez y sigilo. agradecida de que mi entrenamiento con Rafa me permitiera andar de puntillas. La suite principal ocupaba la mayor parte de la planta, lo que me vino muy bien.

Lo habían cambiado respecto a los planos de la ciudad, ya que en ellos había al menos otro dormitorio. Una remodelación ilegal, pensé en el fondo de mi mente.

Al entrar, respiré hondo, intentando calmar los nervios. Aquella era la parte más peligrosa de mi misión hasta el momento, y sabía que cualquier paso en falso podía significar la diferencia entre el éxito y el fracaso.

Recorriendo la habitación, tomé nota de todo. Revisé todos los cajones en busca de un arma y me sentí aliviada de que no hubiera ninguna.

Los armarios tampoco tenían compartimentos ni puertas ocultas. Tenía algunas obras de arte caras en las paredes, pero ninguna foto familiar, ni siquiera una sola de su hija.

Cuando estaba a punto de salir, se oyó un ruido al otro lado de la puerta que me heló y me dio un susto tremendo. ¿Me habían descubierto?

Me agaché detrás de un gran jarrón y contuve la respiración mientras entraba un guardia. Lo observé mientras miraba a su alrededor, examinando la habitación.

Cuando giró hacia mi escondite, actué con rapidez y

salí de detrás del jarrón, con una sonrisa cansada y culpable en el rostro.

"Oh, perdone", dije, con voz dulce y de disculpa. "Lo siento, pero tenía muchas ganas de hacer pis y no podía usar los baños para los invitados".

El guardia me miró, pero yo le sostuve la mirada, deseando que creyera mi historia.

Asintió después de lo que me pareció una eternidad y señaló el pasillo. "Vuelva a sus obligaciones", dijo en tono profundo.

Le di las gracias y bajé las escaleras, agradecida por haberme alejado de él. Sin duda, había evitado el desastre, y no pude evitar una sensación de alivio mientras volvía a mis tareas de servicio.

Al final de la noche, el cansancio me invadió, pero también me animó. Había superado la prueba, incluso la señora Jenkins me había felicitado por la mejora, aunque fue de mala manera. Según ella, si me esforzaba, sería una buena camarera.

Mis pensamientos fueron: "No, gracias, tengo otros planes". Si ella supiera cuáles son".

6

RAFAEL

Esta vez, cuando Ramona fue a echar un vistazo a la mansión, mi preocupación fue mucho menor en comparación con el asunto de Vance. A estas alturas, había desarrollado una gran confianza en sus habilidades y en su capacidad para manejar sus propios asuntos.

Además, había mucha gente presente, así que lo más probable era que no hiciera nada demasiado precipitado, como secuestrarla, o algo peor.

Cuando llegara el día del ataque, yo haría mi parte colocando suficientes explosivos alrededor de su "almacén". Suficientes para causar graves daños.

Siempre me sorprendió lo fácil que era fabricar algo que tuviera la capacidad de causar un daño tan inmenso.

Reunir información sobre los artefactos facilitaba su construcción. Como Ramona estuvo en el centro de la tormenta la mayor parte del tiempo, fue un alivio tener algo que hacer.

Volví a visitar la misma zona donde se habían llevado a

Ramona y Lilly, y era el mismo lugar donde se encontraba el almacén de Colda.

En lugar del prestigioso edificio de oficinas del centro, él llevaba a cabo sus negocios clandestinos en aquel lugar.

Tenía cuatro dispositivos que ocultar en total y estaban en la mochila que sostenía con cautela. Respiré hondo y me acerqué sigilosamente al borde del callejón, asomándome por la esquina para ver mejor el almacén en funcionamiento.

Había varios guardias situados a tres lados del perímetro, que iban y venían con ojos vigilantes.

Por nuestras observaciones anteriores, sabía que esperaban una entrega esa misma noche. Más chicas o drogas, y después de la entrega, la mayoría se iría a la retaguardia.

Todavía me revolvía el estómago ser un participante involuntario en todo el asunto del tráfico. Cuanto antes concluyéramos esta misión, más feliz sería.

Caminando cuidadosamente desde las sombras, me dirigí hacia la entrada, el único lugar que tenía poca seguridad.

Al acercarme a la puerta, oí voces tenues y pasos arrastrados en el interior. Tenía que actuar con rapidez, así que metí la mano en el bolsillo y saqué una pinza pequeña para abrir la cerradura.

Justo cuando iba a introducir la herramienta en la cerradura, oí un silbido agudo y una voz tosca que gritaba: "¡Oye tú! ¿Qué crees que estás haciendo?".

Me di la vuelta y vi a un guardia que se me echaba encima y se llevaba la mano a la pistola que tenía en la cintura.

Sus movimientos fueron tan rápidos que no me di cuenta antes de que me alcanzara. No dudé. Moví el puño con toda la fuerza de que era capaz y le dirigí un golpe contundente en la mandíbula.

El guardia se tambaleó hacia atrás, desorientado. El resplandor de su cuchillo brilló a la luz de la linterna mientras se recuperaba rápidamente, murmuraba que quería matarme.

Cuando se abalanzó, lo esquivé y lo estrangulé, tapándole la boca con la mano para que no pudiera gritar pidiendo ayuda.

Su cuchillo cayó al suelo con un suave tintineo mientras le exprimía la vida. Cuando me aseguré de que estaba muerto, lo solté y arrastré su cuerpo sin vida hacia un lado, donde estaba oscuro.

Forcé la cerradura y entré en el almacén. Los ruidos procedían de una sala situada a mi derecha, así que giré hacia el otro lado.

Como primer paso de mi plan, coloqué el dispositivo cerca de la entrada, sobre un estante que contenía las herramientas que utilizaría un mecánico. No parecía fuera de lugar.

Colocar los otros tres también fue fácil, y los escondí detrás de unas cajas.

La gracia salvadora era que nadie esperaba que entraran a robar en un lugar así. No había seguridad en el interior de la propiedad, pero vi contenedores vacíos que probablemente servían para guardar a sus víctimas.

El silencio era inquietante cuando llegué al otro lado del edificio. Aprovechando que el muelle no estaba cerrado, pude escabullirme sin ser visto, mezclándome con las sombras.

Antes de regresar a casa, envié un mensaje a Ramona a través de otro teléfono desechable.

7

RAMONA

 i Rafael ni yo teníamos falsas impresiones sobre el peligro en que nos habíamos puesto voluntariamente.

A medida que se acercaba el momento en que tendríamos que actuar, decidimos que era importante pasar más tiempo con nuestros amados familiares, específicamente con Lilly y mi padre.

Queríamos que tuvieran los mejores recuerdos posibles por si alguna vez nos ocurría algo a cualquiera de los dos.

A medida que estábamos más seguros de que Colda no conocía nuestro paradero ni quiénes éramos, nos sentíamos más tranquilos. Disfrutamos de un fin de semana maravilloso en la casa en la que crecí, junto a ellos.

Había una agridulce sensación de expectación cuando entré en el placentero refugio de mi antiguo apartamento, mi hogar durante la mayor parte de mi vida.

La luz de las velas y el aroma de la comida de mi padre

me reconfortaron. El fin de semana fue una montaña rusa de emociones, sobre todo alegría, pero con un ligero matiz de tristeza.

Los vecinos nos recibieron con abrazos cálidos y sonrisas genuinas. Lilly se aferraba a mí y a Rafael, y parecía una sombra que podía estar en dos sitios a la vez. Era como si no pudiera creerse que estuviéramos allí y nos siguiera a todas partes para asegurarse.

Nos pareció conmovedora y divertida a la vez, y fue una fuente de entretenimiento para nosotros.

Me abracé a mis seres queridos, su presencia era un bálsamo para mi alma inquieta. Después de la tranquilidad de nuestra casa escondida, las risas de los niños resonaban por los pasillos, llenas de inocencia y energía sin límites.

El hogar era un santuario, un respiro temporal antes de la tormenta. En el fondo de mi mente, no podía evitar pensar en todos los niños a los que gente como Colda había hecho daño.

La sensación de estar haciendo mi parte para garantizar la seguridad de los niños del vecindario me aportó calidez.

La cocina, como era de esperar, se convirtió en el centro de nuestra reunión. La comida siempre fue una parte importante de la vida familiar y los recuerdos afloraron.

A mi madre le encantaba cocinar para las reuniones que se celebraban cada fin de semana. Ese fin de semana no fue diferente y a la mañana siguiente, todos estábamos emocionados.

Mi padre decidió hacer tamales y como tenía mucho

orgullo, lo estaba haciendo a la antigua. desde cero.

Se había levantado temprano para remojar las hojas de maíz. Había pasado un rato a solas con él cuando lo seguí después de que pasó por mi habitación y la cama que compartía con Rafa.

Mi padre, para su fortuna una vez más, se dio cuenta de que algo me preocupaba e intentó hacerme hablar. Le eché la culpa a la sobrecarga de trabajo y le prometí que las cosas se calmarían cuando terminara el proyecto en el que estábamos trabajando. Eso pareció apaciguarle.

Mientras le observaba moverse con destreza por la cocina, me di cuenta de que me parecía mucho más joven y fresco.

"Lilly ha sido como un tónico". Dijo, con una carcajada en el rostro.

"Me lo imagino. Tanta energía juvenil". Me reí con él.

"Tú también eras así de joven. Siempre llena de preguntas, y no me hagas empezar con tus preguntas sobre la justicia cada vez que veíamos una película juntos". Puso los ojos en blanco.

"Es un milagro que no acabaras siendo policía", añadió mientras yo arrugaba la nariz.

Hmmm. Me pregunté. ¿Fue en ese momento cuando empezó todo?

Nuestras risas compartidas pronto hicieron que Lilly y Rafa se unieran a nosotros, y todos nos apretujamos en el pequeño espacio.

Rafa preparó el desayuno con la ayuda de Lilly y yo ayudé a mi padre.

El tentador olor a cerdo y pollo mezclados con pimientos y condimentos flotaba en el aire, y a pesar de haber desayunado mucho, todos dijimos que aún podíamos disfrutar de la comida.

Después nos acurrucamos en el sofá desgastado pero afelpado. El tierno abrazo de mi pequeña familia me envolvió como un escudo protector. La mano de Rafael encontró la mía, entrelazando los dedos como una silenciosa reafirmación de su devoción.

Intercambiamos miradas, para diversión de Lilly. Ella hacía ruidos de besos con la boca y pronunciaba la palabra "asqueroso" de vez en cuando, mientras los adultos soltábamos carcajadas.

Mi padre entretenía a ambos con historias de mi infancia. Saborear estos momentos me recordaba la responsabilidad de proteger a mis seres queridos.

Pronto llegó la hora de ir al parque cercano al huerto comunitario. Armados con nuestra contribución de tamales, guacamole y salsa, además de refrescos, nos pusimos en camino y encontramos a otros que ya estaban allí.

Teníamos ante nosotros un festín, repartido en varias mesas del parque y preparado con cariño y esmero. El tintineo de vasos de plástico y botellas de cerveza acompañaba las animadas conversaciones. Una sinfonía de voces llenaba el recinto de calidez y vitalidad.

Aunque el dinero puede aportar cierto grado de satisfacción, no era el único factor para encontrar la verdadera felicidad. Estas personas disfrutaban de la vida al máximo y, aunque la mayoría eran pobres, compartían con generosidad.

Deseosos de capturar cada momento fugaz, dimos un tranquilo paseo después de estar todos juntos, tomándonos tiempo para admirar el pequeño jardín de mi padre.

El aire era fresco y desprendía la fragancia de las flores. Había niños corriendo por todas partes y Lilly, por supuesto, nos había abandonado por sus amigos poco después de comer.

Sus risas nos levantaron el ánimo. La fiesta duró hasta bien entrada la noche y nos quedamos hasta que Lilly se durmió. Rafael la llevó de vuelta a casa mientras mi padre se quedaba charlando con sus amigos. Me di cuenta de lo buen padre que sería Rafael, cariñoso, protector y tierno.

No podía concentrarme en eso, sólo en la misión que tenía entre manos. Deshacerse de Colda era la prioridad.

Al poco tiempo de llegar a casa, el sueño nos llamó a los dos. Yo había bebido demasiado y arrastraba las palabras, para su diversión. Había sido el tónico que necesitábamos.

"Supongo que esta noche no tendré suerte", me dijo mientras me levantaba después de acostar a Lilly en su cama.

"¿Quién lo dice?" respondí antes de caer rendida en sus brazos.

Aunque había deseado un sueño mucho más largo, la mañana había llegado demasiado deprisa y los suaves matices del amanecer se filtraban a través de las cortinas.

El aroma del café recién hecho nos invitó a reunirnos por última vez antes de partir.

Cuando todos se sentaron a la mesa para el desayuno, un ambiente sombrío y triste invadió la habitación.

Sabía que no querían que nos fuéramos y, para ser sincera, yo tampoco quería irme.

Con el corazón afligido, me despedí de ellos, abrazándolos y grabando su amor en mi memoria.

Para afrontar el difícil camino que tenía por delante, guardé sus voces y sus sonrisas conmigo, como un amuleto mágico. El amor de mi pequeña familia alimentó mi determinación, encendiendo en mí el fuego de volver con ellos.

Estaba preparada para iniciar la misión que tenía por delante, y estaba dispuesta a afrontar cualquier reto que se me presentara, sabiendo que Rafael estaba ahí para apoyarme.

8

RAFAEL Y RAMONA

*R*afa sintió que el corazón le latía con fuerza en el pecho cuando se paró frente a la casa de Colda, listo para poner su plan en acción.

Después de meses de cuidadosa preparación, recopilación de pruebas y duro trabajo, habían llegado a este punto de su viaje.

Era el momento de desenmascarar a Colda y hacerle pagar por todo lo que había hecho. Miré a Ramona, mi compañera en esta traicionera lucha, y pude ver la determinación en sus ojos.

Pensé en mi entrenamiento militar y pude mantener la calma y la serenidad mientras rezaba para que Ramona hiciera lo mismo.

La noche era silenciosa y serena, y el crepúsculo les daba una sensación de secretismo y privacidad. Su misión era simple, pero peligrosa.

Matar a Colda y registrar su casa en busca de pruebas de sus actividades ilegales y sus conexiones con el crimen organizado.

Habíamos pensado a fondo cada acción, pues sabíamos que un paso en falso podría ser catastrófico y hacernos perderlo todo.

Los archivos estarían en su despacho, sospechábamos, o quizá en la habitación segura. Serían los lugares más lógicos para esconderlos.

Si resultaba demasiado difícil acceder, nos arriesgaríamos y esperábamos que la policía indagara más en la vida de Colda y desenterrara la verdad.

Mientras buscaba las selecciones de bloqueo en el bolsillo, mi teléfono vibró con un mensaje entrante. Fruncí el ceño con irritación y eché un rápido vistazo a la pantalla.

Era un mensaje de su fuente interna, María, que filtraba información vital en el último momento. La frustración de Rafa aumentó al leer el mensaje.

"La hija de Colda va a pasar la noche con su padre, cambio de planes de última hora. Deja lo que tuvieras pensado hacer".

El corazón de Rafa se hundió, su entusiasmo cargada de adrenalina ahora sustituida por una mezcla de frustración y rabia.

María trabajaba como asistenta para Colda y su información, hasta el momento, había sido fiable. La conocía desde niño. Vivía en su barrio y había trabajado con su padre durante muchos años.

Relacionarse con las personas adecuadas de su pasado lo condujo finalmente a alguien que trabajaba en la residencia de Colda. Fue un alivio para él que la persona que encontró fuera alguien que ya conocía.

Sin saber ni preguntar por qué Rafael había querido

información, ella se alegró de proporcionársela. Sabía que Colda era un hombre cruel después de muchos años trabajando para él.

Si Rafael lo hubiera sabido antes, no habrían necesitado que Ramona fuera de incógnito. Habíamos llegado muy lejos, pero tuvimos que posponer nuestra operación.

No esperábamos el gran contratiempo que suponía una auténtica amenaza para la conclusión con éxito de nuestro plan. Tuvimos que posponerlo. No había otra opción.

Rafael miró a Ramona, y su rostro reflejaba la misma mezcla de emociones. Habían invertido meses de duro trabajo en esta misión.

Ahora, con la presencia inesperada de la hija, tenían que abandonar la misión de aquella noche.

La mente de Rafa se agitó contemplando las consecuencias del repentino cambio de planes. ¿Y si la hija los veía?

¿Sería capaz de recordar a Ramona o a él mismo e identificarlos? La idea de que se descubriera su verdadera identidad y sus esfuerzos se echaran a perder le produjo un escalofrío.

Ramona estaba a punto de retirarse de la puerta para unirse a Rafa en las sombras cuando detectó un movimiento. Era demasiado tarde para correr.

Vio cómo la hija de Colda salía de la casa, con los ojos llenos de una mezcla de miedo y tristeza. El peso de la verdad era evidente en su conducta.

Para su alivio, la hija no gritó ni se enfrentó a ellos. En lugar de eso, miró a Ramona a los ojos, y una silenciosa comprensión pasó entre ellas.

La hija sabía para qué habían venido y no tenía intención de revelar su presencia a su padre ni a nadie.

¿Tan desgraciada era? La pobre niña.

Un rayo de esperanza surgió de las profundidades de su frustración. La hija de Colda conocía la verdadera naturaleza de su padre.

Su madre había compartido historias con ella, historias de su huida de su control, y de su posterior divorcio de él.

Tenía algún tipo de ventaja sobre él que nunca había divulgado a nadie, ni siquiera a ella.

La ansiedad de Ramona se calmó al ver el beneficio potencial de la situación, admirando la valentía de la chica. Conociendo el lado oscuro de su padre, dejó que las cosas cayeran como tuvieran que caer. Era un testimonio de su resistencia y de la fuerza de la influencia de su madre.

Con mucho pesar, Rafa y Ramona se retiraron en silencio de las inmediaciones de la casa de Colda, abandonando su misión por esa noche.

La frustración y la rabia aún persistían, pero encontraron consuelo sabiendo que su secreto permanecía a salvo. Su hija no hablaría.

A medida que se alejaban, la resolución de Rafa se fortalecía y no podía evitar sentir una renovada determinación. Aunque su plan tuvo que ser pospuesto, aún conservaban cierta esperanza.

El silencio de la hija les había dado esperanzas, esperanzas de que su misión aún podía tener éxito, y de que la justicia prevalecería sobre las malas acciones de Colda.

9

RAFAEL Y RAMONA

*M*ientras se retiraban de la casa de Colda, la decepción se apoderó de Ramona como una pesada nube.

La abrupta cancelación de sus planes la había dejado frustrada e insegura. No podía deshacerse de la decepción que le carcomía el corazón.

Cuando encontraron un lugar seguro para reagruparse, la mente de Ramona vagó por pensamientos sobre el futuro.

Su determinación de hacer justicia en el mundo y eliminar a personas como Colda era algo que siempre había estado en el primer plano de su compromiso con la causa. Pero ahora, ante este revés, se cuestionaba el camino que estaban siguiendo.

Pensó en Rafa y en su relación. Habían sido compañeros tanto en la vida personal como en la profesional, unidos por un mismo sentido de la justicia.

Ramona quería a Rafa y creía que él sentía lo mismo.

Pero últimamente, su atención había cambiado. Anhelaba una vida más allá de sus peligrosas misiones.

Imaginaba un futuro en el que Rafa, Lilly, su padre y ella pudieran vivir una vida al aire libre. Se imaginaba a sí misma disfrutando de su trabajo como arquitecta, creando impresiones duraderas.

Anhelaba una existencia pacífica, un lugar al que pudieran llamar hogar, donde pudieran echar raíces y construir una vida juntos.

El hecho de que su padre envejeciera cada día que pasaba llenaba la mente de Ramona de una gran preocupación.

Ramona creía que Lilly merecía el amor y los cuidados de Rafa y de ella, así como de su padre. Se merecía la oportunidad de tener hermanos y crecer en un entorno enriquecedor.

Estos pensamientos y deseos se agitaban en el corazón de Ramona, creando un conflicto en su interior. Seguía creyendo en su misión, en la lucha por la justicia, pero también ansiaba una vida estable y normal. Anhelaba ser algo más que una guerrera en la sombra.

Después de recuperar la compostura, Ramona supo que tenía que hablar con Rafa. Era el momento de compartir sus esperanzas y sueños para el futuro, de expresar su deseo de una vida más allá de sus peligrosas misiones. Confiaba en Rafa y creía que él entendería su necesidad de cambio.

Más tarde, mientras se acomodaban en un rincón tranquilo de la casa, Ramona miró a Rafa a los ojos, buscando una conexión más profunda que su causa común.

Sabía que abrirse sobre sus deseos requeriría vulnerabilidad, pero también sabía que era una conversación que debía tener lugar.

"Rafa", comenzó suavemente, "no puedo evitar pensar en nuestro futuro. Quiero librar al mundo de gente como Colda, pero la necesidad de vivir una vida tranquila me oprime".

Hizo una pausa y se le llenaron los ojos de lágrimas. "Quiero disfrutar de mi carrera, construir un hogar y cuidar de Lilly y de mi padre. Creo que podemos marcar la diferencia de otra forma, una forma que nos permita estar presentes para las personas que queremos."

Ella buscó comprensión en los ojos de Rafa. "Quiero hablar de nuestros sueños, Rafa. Quiero saber qué imaginas para nuestro futuro. ¿Hay algún camino mejor?".

Rafa escuchó atentamente, sus ojos reflejaban una mezcla de sorpresa y contemplación. Extendió la mano y tomó la de Ramona entre las suyas, un toque tranquilizador que le transmitió su apoyo.

"Ramona, te escucho y comprendo el anhelo de una vida diferente", respondió Rafa, con una voz llena de ternura. "Yo también he soñado con un futuro más allá de estas peligrosas misiones. He visto mucho en la guerra. Luchemos por la justicia a la vez que creamos una vida en la que podamos encontrar estabilidad y felicidad. Lilly se lo merece, y nosotros también".

Fue un discurso bastante largo para Rafael. Normalmente era un hombre de pocas palabras, que prefería dejar que los hechos hablaran por él.

Ramona sintió que la invadía una sensación de alivio. Su visión compartida del futuro le aseguró que podrían forjar un camino que combinara su pasión por la justicia con una vida normal.

Marcarían la diferencia al tiempo que cultivarían sus relaciones y formarían una familia.

Ramona se acercó para besarlo con pasión. Sus labios sabían suaves como pétalos de rosa, su piel aterciopelada y suave bajo el top. Sus pechos estaban firmes y calientes en sus manos a través del sujetador, los pezones como pétalos esperando a ser recogidos.

Extendió la mano para desabrocharle el brasier y sus ojos se clavaron en sus tetas cuando se liberaron. Bajó los labios para chupárselas mientras sentía el calor de su cuerpo, que coincidía con el de su pene, que se erguía orgulloso.

Con los ojos nublados por el deseo, buscó el bulto bajo la pijama, rodeando con el pulgar la cabeza ya resbaladiza de semen. Besó su cuerpo, pero se detuvo al llegar a su pene, deleitándose en su tacto y en el efecto que producía en él.

Rafael gimió y su pulso se aceleró cuando ella lo rodeó con sus dedos y lo besó ligeramente, pasando la lengua por la punta antes de mirarlo a los ojos, mientras sus dedos seguían subiendo y bajando por su miembro con movimientos firmes.

Él no pudo resistirse a levantar las caderas para intentar meterle el pene hasta el fondo de la boca, pero ella se resistió y lo excitó aún más chupándole los testículos. Por fin, ella descendió sobre su miembro, tragándolo hasta el fondo, con las manos acariciando aún sus chicos.

Al mismo tiempo, se puso de rodillas a su lado, con las

piernas abiertas para que él pudiera ver su vagina, lo que aumentó su furiosa lujuria. Contempló fascinado cómo se le movía el culo y vio cómo se le salía la humedad. Con un rugido, sacó la mano para envolver su montículo, abriendo aún más los labios.

Estaba indeciso. Quería que se la metiera hasta el fondo, pero ella dejó claro que no estaba preparada. Se estaba divirtiendo demasiado con su pene por la sonrisa que tenía en la cara.

"Cógeme con los dedos", le ordenó mientras succionaba, lamía y chupaba. Él se puso manos a la obra con un gruñido posesivo, metiéndole cuatro dedos hasta el fondo de la vagina mientras su pulgar rodaba sobre su clítoris mientras ella gemía.

El olor de su excitación, un aroma a fresas y nata mezclado con sus feromonas, llenaba el aire. Sus movimientos se aceleraron y no tardó en alcanzar el clímax, inundándole la boca con un río de esperma que ella tragó con triunfo.

Sustituyó entonces un par de dedos por su boca, saboreando su esencia mientras manipulaba su lengua con maestría dentro de su vagina y ella se estrechaba contra su cara hasta que también explotó, agitándose y temblando mientras sus jugos caían a chorros en su boca.

Mucho después, una vez satisfecha su lujuria con ardientes sesiones de sexo, y con un renovado sentido de propósito y comprensión, Ramona y Rafa se sentaron juntos a hablar de sus sueños y aspiraciones para el futuro.

La decepción de sus planes frustrados se desvaneció.

La sustituyó una nueva esperanza en una vida que abarcase el amor, la justicia y las sencillas alegrías que conlleva abrazar un futuro lleno de posibilidades.

10

RAFAEL Y RAMONA

ientras llovía a cántaros, Ramona y yo, al reorganizarnos, nos dispusimos a atacar al amparo de la noche.

La tormenta añadió un sentido de urgencia a nuestra misión, amplificando la tensión que ya flotaba en el aire. Esta vez no había ningún mensaje urgente de María. Ya habíamos hecho todos los preparativos y pondríamos el plan en marcha.

Nuestra misión, cuidadosamente planeada, por fin iba a dar sus frutos. Los dos estábamos aprensivos pero ansiosos por completar la misión y seguir con nuestras vidas.

Con el corazón palpitante y la adrenalina corriendo por nuestras venas, nos acercamos al perímetro de la mansión de Colda. Yo, al que Ramona había empezado a llamar el maestro del sigilo, a pesar de mi pierna mala, avanzaba con movimientos fluidos y silenciosos.

Ramona, la vigía de mirada aguda, me seguía de cerca, escudriñando los alrededores en busca de cualquier señal de problemas. Me sentí aliviado de que seamos un equipo reducido porque así había menos posibilidades de que nos dominaran.

La mansión se alzaba ante nosotros como una fortaleza, con sus ventanas protegidas por persianas blancas.

Teníamos que abrirnos paso hasta el interior sin alertar a los guardias, o de lo contrario nuestras posibilidades de éxito se desmoronarían. Hice un gesto para que nos agacháramos al acercarnos a la entrada principal. Le susurré a Ramona: "Quédate cerca y sígueme".

Nos deslizamos entre las sombras, cada paso calculado para evitar el crujido de las tablas del suelo o los rayos de luz de la luna. La tensión era palpable, nuestra respiración entrecortada, mientras sorteábamos con cuidado las cámaras de seguridad que rodeaban el exterior.

La mansión de Colda era un laberinto de trampas ocultas y medidas de seguridad letales.

Teníamos dos ventajas. Una, nos había subestimado y no había aumentado su seguridad y dos, no sólo habíamos visto los planos de la casa, sino que conocíamos el terreno y cómo funcionaban las cosas, gracias a María.

Llegamos a la puerta principal sin ser detectados, pero cuando Rafael tomó la perilla, un guardia de seguridad dobló la esquina. Era alto y amenazador, con una mirada fría como el hielo.

Se nos exaltó el corazón, pero Rafael no tardó en reaccionar. En un momento de reflejos ultra rápidos, giró sobre sí mismo y le encajó un potente puñetazo en la mandíbula del guardia, haciéndole caer al suelo con total sigilo.

El compañero del guardia, alertado por el altercado,

apareció en la puerta. Sin dudarlo, Ramona se abalanzó sobre él, embistiéndole en un feroz combate cuerpo a cuerpo.

La guardia de Colda no era nada fácil, pero las habilidades que le había enseñado le sirvieron de mucho. Golpe tras golpe, intercambiaron furiosos puñetazos, el sonido de los huesos al chocar llenaba el aire.

Finalmente, una patada bien colocada en la ingle hizo que el guardia se desplomara, y su cuerpo inconsciente se unió al de su compañero caído. Aproveché el tiempo para forzar la cerradura y esperé a que Ramona acabara con el guardia.

No tenía ninguna duda de que ella podría con él, e interferir la habría enojado muchísimo.

No tuvimos tiempo de celebrar nuestra pequeña victoria. El tiempo corría y nuestro objetivo nos esperaba dentro de la mansión.

Mientras nos abríamos paso por la casa, el sonido de nuestros pasos ocultos por el ruido de la lluvia era lo único que se oía.

Mi corazón se aceleró mientras nos movíamos con silencioso propósito. La suite de Colda estaba justo al otro lado de las ornamentadas puertas dobles, al final del vestíbulo, ya que habíamos subido por un camino distinto al del salón de baile. Me preparé para lo que nos esperaba.

Ramona me hizo un gesto para que fuera a buscar los papeles a la biblioteca. Colda era su objetivo por designio.

Sin perder ni un momento más, me dirigí a la biblioteca y localicé la caja fuerte oculta tras una estantería intrincadamente tallada.

Estaba a punto de poner en práctica mis habilidades

para abrir cajas fuertes cuando me di cuenta de que la puerta estaba abierta. Con manos temblorosas, abrí la puerta.

Los sucios secretos de Colda quedaron al descubierto ante mí. Documentos, fotografías de niños pequeños y una colección de pruebas incriminatorias sobre su operación.

La única explicación que se me ocurrió fue que había estado allí antes, pero fue a buscar su pistola al dormitorio y dejó la puerta abierta. Tenía toda la intención de volver. Temía por Ramona y quería estar a su lado.

Recogí con cuidado las pruebas y las guardé en un compartimento seguro de mi bolso. Saliendo con cuidado, esperaba encontrar a una Ramona victoriosa esperándome.

11

RAMONA

Empujando las puertas, entré en el opulento santuario de Colda. La sala estaba adornada con obras de arte caras y objetos raros, algunos de los cuales había visto la noche del acto benéfico.

Colda, con una sonrisa de suficiencia en el rostro, se levantó de su asiento y sus ojos brillaban de confianza. De algún modo, debió oír la pelea afuera. No le sorprendió verme.

"Vaya, vaya, vaya", se burló con voz arrogante. "Mira quién ha decidido visitarme. Sabía que serías tú. El cojo no habría podido seguirme el ritmo. ¿Qué te pasa niñita? ¿Te perdiste?"

Sentí una oleada de rabia ante sus burlas, especialmente sobre Rafael, pero me recordé a mí misma que debía mantener la concentración.

Había llegado demasiado lejos como para dejarme amedrentar por sus palabras despectivas. Colda me fulminó con la mirada, como si fuera un depredador acechando a su presa. Nos rodeamos mutuamente, y mi determinación ardió ferozmente.

"¿Crees que puedes enfrentarte a alguien como yo?", se burló a carcajadas. "No eres más que una molestia. Una niñita que sueña con jugar con los grandes. Pues déjame enseñarte lo que les pasa a las niñitas como tú". Realmente era un imbécil pomposo.

A une velocidad impresionante, Colda se abalanzó sobre mí, con movimientos rápidos y calculados. Me sorprendió que tuviera espíritu de lucha. Esquivé el ataque mientras el viento me rozaba la mejilla y su cuchillo me cortaba el hombro, sacando un hilillo de sangre. No lo había visto venir.

Nos enfrentamos con una ráfaga de golpes. Era un oponente formidable, con su fuerza y experiencia claras en sus movimientos.

Le propiné una serie de puñetazos rápidos dirigidos al torso y a la cara, que le obligaron a retroceder. Luego atacó con una rápida patada que me tomó desprevenida y me hizo caer al suelo mientras el dolor me recorría el cuerpo.

Cuando se acercó para encajarme el golpe final, rodé hacia un lado y salté hacia delante con todas las fuerzas que me quedaban. Le agarré y le retorcí el brazo con todas mis fuerzas. La empuñadura de la pistola que apareció en su mano se aflojó y pude desarmarlo, jadeando de dolor y de pura adrenalina.

Colda se tambaleó hacia atrás. Sus ojos se abrieron de par en par con incredulidad. "No puedes derrotarme", jadeó, con voz desesperada.

Sin embargo, yo ya había saboreado la victoria. Con

una última oleada de energía, lo dominé con un golpe que hizo crujir los huesos, con todo mi peso y mi fuerza, y lo obligué a caer al suelo. Su cara de aturdimiento me llenó de orgullo.

Estaba en el suelo y ya no había vuelta atrás. Le di una patada en el estómago con mis botas de punta de acero y mugió de dolor. Fue música para mis oídos.

Necesitaba hacerle la única pregunta que me había estado atormentando antes de acabar con él. "¿Por qué?

Me miró, con incredulidad en el rostro. "¿Qué? Luchó por incorporarse, pero volví a darle una patada, advirtiéndole que no se levantara.

"¿Por qué? Repetí lentamente. "Tienes una hija. ¿Por qué le haces esto a los hijos de los demás? Ellos también tienen familia".

"Ellos no importan". Dijo simplemente. "Son sólo negocios", añadió tras una leve pausa.

"Me subestimaste, Colda", siseé, mi voz goteaba satisfacción. "Supusiste que eras intocable, escondiéndote tras tu dinero y tus supuestas buenas acciones, pero te equivocaste". Empuñé la pistola que llevaba oculta en la cintura.

"¡Mis abogados te enterrarán, maldita!". Me argumentó con veneno. "Yo saldré mañana y tú te pudrirás en la puta cárcel".

Decía la verdad. Las cosas habrían ido exactamente como él había predicho.

"Apuesto a que mi arma va a ser utilizada esta noche. A diferencia de la tuya". Era mi turno de burlarme mientras hacía girar la pistola en mi mano.

Me miró como si estuviera loca. Entonces me di

cuenta de que había pensado que lo entregaría a las autoridades.

Su rostro se puso gris cuando vio la determinación en mi cara. Se dio cuenta de que eso no ocurriría y el miedo se apoderó de él sin control. Su vejiga cedió y rápidamente se formó un charco de humedad en el suelo.

Había creído que era un mito que la gente se hiciera pis cuando tenía miedo. Sabía que no había forma de salvarse.

Sacudí la cabeza. "Nunca llegarás a ver el interior de una celda. Ya lo sé. La gente como tú nunca lo hace".

"Ahora, espera un maldito minuto. Te daré..." No llegó a terminar la frase porque le metí la primera bala en la cabeza, en el centro, y vi cómo salía humo de ella.

Por fin había terminado. Colda Crater estaba muerto, incapaz de volver a hacer daño a nadie.

Salí de la habitación tan silenciosamente como había entrado.

Cuando vi que Rafa venía hacia mí y me hacía un gesto con el pulgar, me quedé extasiada. Había encontrado lo suficiente para enterrarlo. Otra vez.

12

RAFAEL

Mientras permanecía de pie frente a los restos de la mansión de Colda, una mezcla de emociones me embargó. Alivio, satisfacción y un miedo persistente se enredaron en mi corazón.

Nuestra búsqueda había sido un éxito. habíamos logrado lo que nos habíamos propuesto. Colda se había ido, y con él, un oscuro capítulo de nuestras vidas.

Nuestra misión aún no había terminado. Nos dirigimos al almacén de Colda, conduciendo a velocidad normal para no llamar la atención.

Desde la distancia, pude detonar las bombas que había colocado en los puntos estratégicos del interior, sabiendo con seguridad que no había envíos para ese día.

Fue gratificante observar cómo las explosiones iban apareciendo sucesivamente. Cuando las columnas de humo llenaron el cielo, fue casi como si la maldad de Colda se borrara de la tierra.

El mundo se arremolinaba de nuevo a nuestro alrededor. Ajeno a nuestra participación. Nos enfrentábamos a un nuevo reto: ¿Cómo entregar las pruebas a la policía sin exponer nuestras identidades?

Por la mañana, la noticia del fallecimiento de Colda se había extendido rápidamente. Los medios de comunicación acudieron a su propiedad como un enjambre de buitres.

Llenaron los periódicos de titulares, especulando sobre quién podría haber matado a una figura tan prominente de la sociedad.

Se intensificó aún más cuando divulgaron noticias sobre el incendio del almacén. Nunca había ocurrido nada parecido en Arelis Springs.

Los equipos de televisión recorrieron la zona, entrevistando a cualquiera que pudiera ofrecer la más mínima pista. Los guardias de Colda no hicieron ningún comentario y afirmaron que no habían visto a nadie.

Cuando se les preguntó por los moretones y golpes que se veían claramente, nadie pudo dar ninguna explicación, lo que provocó aún más curiosidad.

Observamos el desarrollo de los acontecimientos desde la comodidad de la casa. El comisario de policía, deseoso de publicidad, prometió hacer justicia y detener a los asesinos. Colda, dijo, había sido un hombre muy respetado y un pilar de la sociedad.

* * *

EN MEDIO DEL CAOS, nos quedamos en un estado de inquietud. El peso de nuestras acciones nos presionaba, el miedo a ser descubiertos nos aterraba.

No podíamos simplemente entregar las pruebas y arriesgarnos a revelar quiénes éramos.

No habíamos pensado en lo que vendría después si seguíamos adelante con nuestro plan. No tardarían en sumar dos más dos.

Necesitábamos un plan, una forma de navegar por el complicado camino que teníamos por delante.

Había una persona en la que sabía que podíamos confiar. El policía que había estado a cargo del caso de Ramona cuando fue secuestrada.

El detective Simmons sabía quiénes éramos, nuestras motivaciones y las circunstancias que nos habían llevado por ese camino.

Era un hombre íntegro, que comprendía la indefinida línea que separa la justicia de la venganza.

Aunque no podía aprobar nuestras acciones, reconocía la validez de nuestra causa.

Me lo había dicho en el hospital mientras Ramona se recuperaba. Me confesó que a veces tenía las manos atadas y que los culpables solían escapar.

Al ser el único que conocíamos en el laberinto de las fuerzas de seguridad, nos pusimos en contacto con él a través de un canal cifrado.

El mensaje detallaba nuestro conocimiento del mundo de Colda. Mencionamos dónde habíamos dejado las pruebas y cómo podía recuperarlas.

Sabíamos que era una apuesta arriesgada, pero esperábamos que su sentido de la justicia prevaleciera.

Los días se convirtieron en semanas y no obtuvimos respuesta. El calor que rodeaba el caso era intenso, y desalojaban a todo el mundo.

Dudábamos de que nuestro mensaje le hubiera llegado o, peor aún, de que lo hubiera recibido la persona equivocada y lo hubiera enterrado.

Nos alegramos cuando, por fin, recibimos una respuesta codificada. El detective pudo recibir de nuestro mensaje.

Sin mencionar nuestros nombres, hizo saber que sabía quiénes éramos. Las pruebas que le dimos coincidían demasiado con los detalles que había descubierto durante su investigación.

Con el circo mediático en pleno apogeo, el detective Simmons filtró discretamente la información sobre Colda.

La colocó estratégicamente a la vista del público, asegurándose de que la verdad acabaría saliendo a la luz.

Cuando lo hizo, la atención mundial pasó de centrarse en encontrar al asesino o asesinos a procesar la impactante revelación de la doble vida de Colda.

Las personas relacionadas con él se apresuraron a distanciarse, alegando ignorancia de sus atroces actos.

Se presentaron como víctimas inocentes de su deshonestidad, deseosos de salvaguardar su propia reputación.

Fue un débil intento de salvar lo que quedaba de su destrozada credibilidad.

Se inició una investigación sobre su organización benéfica para niños y, cuando salió a la luz la horrible verdad de cómo la había utilizado como tapadera para el tráfico de seres humanos, el dolor por su muerte se convirtió en desprecio.

Tras la revelación, la urgencia por encontrar a los asesinos de Colda pasó a un segundo plano.

El mundo estaba deseoso de olvidarlo, de pasar página a la oscura mancha que había dejado tras de sí.

Querían que Arelis Springs siguiera siendo el paraíso de los ricos. A medida que la atención de los medios de comunicación disminuía, nuestros temores se disipaban, sustituidos por una señal de esperanza de que por fin podríamos encontrar consuelo.

Pasó el tiempo y cada día que pasaba estábamos más cerca de salir de dudas. La investigación policial tropezaba con callejones sin salida y se desviaba en distintas direcciones.

Las pruebas que habíamos reunido y conservado cuidadosamente se perdieron, sin dejar rastro de nuestra implicación.

La vida volvió poco a poco a la normalidad. Los murmullos que antes nos rodeaban sobre su impecable vida se desvanecieron, sustituidos por los susurros sobre las maldades de Colda.

Nos convertimos en fantasmas, los que habíamos hecho justicia, pero nunca pudimos ser reconocidos del todo, no es que quisiéramos serlo.

Las cicatrices siempre permanecerían dentro de Ramona, pero se negó a dejar que la definieran.

Juntos, nos enfrentamos al mundo con una determinación inquebrantable, sabiendo que habíamos hecho lo que era necesario.

Habíamos recorrido un camino traicionero, navegando por la delgada línea que separa el bien del mal. Nadie podrá comprender jamás los sacrificios que hicimos en aras de la justicia.

Habíamos ocultado tantas cosas al padre de Ramona y

a Lilly y no habíamos podido pasar tanto tiempo con ellos
sin poner en peligro sus vidas.

Con el paso del tiempo, por fin pudimos consolarnos
porque habíamos salido de las sombras, dejando atrás el
legado de Colda.

Estábamos a salvo, ocultos bajo la fachada de una vida
ordinaria. Los ecos de nuestro pasado nos recordarían
para siempre la oscuridad a la que nos habíamos
enfrentado.

Por fin estábamos preparados para seguir adelante.

EPÍLOGO

CUATRO AÑOS DESPUÉS

*L*os cálidos rayos de sol entraban en cascada por las ventanas de nuestro acogedor hogar, arrojando un suave resplandor sobre la vida que habíamos construido juntos.

Ramona y yo habíamos encontrado consuelo en el abrazo de un vecindario tranquilo, una casa de dos plantas ubicada cerca del lugar que ella había llamado hogar.

Fue aquí, en medio de la reconfortante familiaridad de sus raíces, donde forjamos un nuevo comienzo.

Ramona ha prosperado en su carrera como arquitecta, y ése era su único trabajo, nada de segundos empleos. Su pasión por el diseño de espacios se combinó a la perfección con su deseo de tener un impacto positivo.

Sus días están llenos de creatividad y propósito mientras da vida a sus visiones arquitectónicas.

Proporcionamos viviendas asequibles a través de nuestros edificios. Muchos de nuestros vecinos de aquí habían sido vecinos allá, y por fin pudieron hacer realidad parte de su sueño, ser propietarios.

El talento y la dedicación de Ramona hicieron florecer cada proyecto, y yo la apoyé como jefe de obra, dando vida a sus planes.

Hemos contratado a un equipo de trabajadores y nos hemos asegurado de proporcionarles salarios justos y equitativos por sus servicios.

Nuestra casa se había transformado en un refugio de amor y calidez. El padre de Ramona y Lilly se mudaron con nosotros en cuanto la compramos.

Su presencia era un recordatorio constante de la fuerza y la resistencia de nuestra familia. Nos habíamos convertido en una familia muy unida por un amor incondicional.

Mientras disfrutábamos de la alegría que llenaba nuestra casa, un nuevo miembro completó nuestra familia. Nuestro bebé, con sus diminutos dedos tratando de tomar el mundo que le rodeaba, era una fuente constante de diversión para todos nosotros.

Su llegada nos recordó el valor de la vida y el deber de proteger y cuidar a los seres queridos. Estuve separado de mi hermana, pero nunca estuvo lejos en mi corazón y sentí profundamente su ausencia.

Lilly, que se ha convertido en una enérgica joven de 14 años, estaba encantada de asumir el papel de hermana mayor. Con más de diez años de conocimientos y sabiduría, estaba decidida a compartirlos con su hermano pequeño, y se aseguraba de que todos la oyeran.

La risa contagiosa de Lilly llenaba a menudo el aire, ahuyentando cualquier sombra persistente de su calvario pasado, que se desvanecía más con cada día que pasaba, pero nos aseguramos de que nunca olvidara a su verdadera madre.

Los recuerdos de nuestro tiempo como sicarios se alejan, empujados hacia lo más profundo de nuestras mentes por la belleza y, sobre todo, la tranquilidad que nos rodeaba.

Habíamos elegido un camino diferente, que nos permitiera reconstruir nuestras vidas y, al mismo tiempo, influir positivamente en el mundo.

Sin embargo, no éramos ingenuos. Sabíamos que si alguien se atrevía a amenazar la santidad de nuestra nueva felicidad, estaríamos preparados para defender a nuestra familia con toda la fuerza que llevábamos dentro.

Las habilidades y los instintos perfeccionados durante nuestras vidas anteriores permanecían como una fuerza silenciosa, lista para ser despertada si surgía la necesidad. Hemos transformado nuestro garaje en un gimnasio que nos recuerda al de la antigua casa en la que habíamos vivido Ramona y yo. Seguimos entrenando con regularidad.

¿Y la casa afuera de la ciudad? La habíamos adquirido a un precio increíblemente razonable. Los propietarios estaban desesperados por deshacerse de ella lo antes posible. Es nuestro nido de amor secreto, y hemos hecho el amor en todas las habitaciones del lugar.

Mi lugar favorito sigue siendo el baño donde nos acostamos por primera vez. Ella todavía se burla de mí porque soy yo quien tiene que dar el primer paso, y yo sonrío al recordarlo.

Allí seguimos practicando tiro al blanco y otras actividades a las que no queremos que se exponga nuestra familia. **Por si acaso.**

Cuando el sol se oculta en el horizonte, beso el cuello de Ramona y contemplamos la belleza de nuestra familia.

RAMONA

Al reflexionar sobre el viaje que me ha traído hasta este momento, me siento abrumada de gratitud por mi vida actual.

He asumido el papel de madre de todo corazón, criando a Lilly con amor. Es mi niña en todos los sentidos y aprecio cada momento que pasamos juntas.

La alegría en nuestro hogar se ha multiplicado con la llegada de nuestro bebé, un precioso ser lleno de inocencia y asombro.

Tenerlo en mis brazos llena mi corazón de un amor y un propósito indescriptibles. Cada pequeña sonrisa es un recordatorio de la belleza y los milagros que ofrece la vida.

Mi padre está encantado de volver a ser abuelo, sobre

todo ahora que Lilly es un poco mayor y no puede estar con él tanto como antes.

El día de nuestra boda fue una celebración de amor y unidad, un pequeño acontecimiento rodeado de vecinos, amigos íntimos y aquellos que se habían convertido en familia.

Mi padre había llorado al entregarme a Rafael. Sabía que estaba pensando en mi madre y deseando que hubiera podido estar con nosotros.

Los chicos del antiguo gimnasio estaban a nuestro lado, incluso Mace, que hacía tiempo que me había perdonado por haberlo hecho añicos en nuestro primer encuentro. Manny, el dueño, también se unió a nosotros, y su cálida sonrisa irradiaba el apoyo y la aceptación que habíamos encontrado en nuestra comunidad.

Rainn, mi mentor laboral, había derramado una lágrima mientras yo caminaba por el pasillo, aunque luego lo negó. Se había convertido en socio de nuestra recién creada empresa de construcción de viviendas asequibles.

Y ahora, mientras la vida sigue bendiciéndonos, acabo de descubrir que estoy embarazada de nuevo. La noticia me llena de una mezcla de emoción y anticipación mientras me preparo para compartir esta hermosa sorpresa con Rafael.

Nuestra familia está creciendo, y con cada nueva vida que llega a nuestro mundo, nuestros corazones se expanden para dar cabida al amor sin límites que tenemos que dar.

Soy plenamente consciente de la dicotomía que existe en mí. Aunque ya no soy un sicario, las sombras de nuestro pasado nunca podrán borrarse por completo. Esa es la pura verdad.

Hemos encontrado la paz, pero seguimos vigilantes, dispuestos a proteger a nuestra familia o a los indefensos con la ferocidad que sólo pueden comprender quienes han probado la oscuridad.

El camino que he recorrido me ha hecho humilde y agradecida. Mi resistencia y mi fuerza me han llevado hasta donde estoy hoy.

No me arrepiento de nada. Haría lo mismo si tuviera otra oportunidad.

Cuando miro hacia delante, me invade la esperanza y un sentimiento de determinación. Acepto las bendiciones que me ha dado la vida y aprecio el amor de mi familia y mis amigos. Mi enfado con el mundo se ha disipado.

Al mirar ahora a mi familia, no puedo dejar de sonreír de orgullo. Ellos son mi mundo.

Soy una madre, una esposa y una mujer que ha abrazado la luz y ha aprovechado las oportunidades que tenía ante mí.

MUCHAS GRACIAS

Muchas gracias por su compra. Se lo agradezco mucho.

HAZME EL DÍA

Si te ha gustado el libro, puedes dejar una reseña en la plataforma en la que lo hayas comprado. Las reseñas son cruciales para autores independientes como yo, que no cuentan con el respaldo de grandes editoriales.

Busca el enlace ESCRIBIR UNA OPINIÓN DEL CLIENTE. Tu reseña ayudará a darme a conocer a otras personas a las que les pueda gustar el mismo contenido.

Leer sus amables reseñas me alegra el día y me empuja a ser aún mejor. Por favor, no dejes de decirme qué es lo que más te ha gustado de este libro.

Únete a mi boletín para estar al día de las novedades y los obsequios. Simplemente escanea el código QR para acceder a la página web.

MUCHAS GRACIAS

La Ceguera del Multimillonario

¿Podrá este multimillonario seguir enamorado de su angelical enfermera después de que le quiten las vendas?

Zuri

Soy el estereotipo de libro de texto de una mujer independiente. Una adicta al trabajo, feliz, fiable y compasiva, con una vida que mis amigos califican de aburrida, pero ¿Quién necesita a un hombre cuando tengo un trabajo satisfactorio como enfermera en la sala de urgencias?

Primero tengo que deshacerme de mis cuantiosos préstamos. Entonces, y sólo entonces, quizá pueda centrarme en el amor. Todos los pensamientos racionales me abandonan al conocer al misterioso ciego a mi cargo y tomo una decisión temeraria. ¿Merecerá la pena?

Kent

Soy un soltero feliz que acaba de cerrar una gran fusión y estaba de camino a casa cuando un terrible accidente me lleva a urgencias. Me despierto confuso y en completa oscuridad.

Dicen que es ceguera temporal, pero ¿Mienten? Mi enfermera ángel de la guarda me ablanda al primer contacto y me enamoro, sin verla. Debo hacerla mía porque significa para mí más que mis miles de millones.

Todo el mundo opina sobre esta relación interracial, amigos y familia.

¿Es el amor realmente tan ciego como dicen y su amor lo conquista todo? o ¿Será esta magia tan temporal como su ceguera?

Si te gustan las tropologías de héroes de piel canela, un multimillonario y una mujer con curvas, este libro es para ti.

ENCUENTRA LA HISTORIA DE ZURI Y KENT AQUÍ

https://vestaromero.com/product/la-ceguera-del-multimillonario/

La Pelirroja del Millonario

¿Podrán este multimillonario malhumorado y la farmacéutica temperamental descubrir el amor que ninguno sabía que quería?

Carmen:

Después de mi larga jornada, solo quería ir a casa y esperar la tormenta como todos los demás. Un simple error me lleva a entregar medicamentos muy necesarios al atractivo y tosco multimillonario que había venido más temprano esa noche. Probablemente podría haber encontrado a alguien más para hacerlo, pero ansiaba verlo una vez más.

Walter:

Arruiné mi primera cita con la hermosa pelirroja detrás del mostrador. El azar la trae a mi puerta y no podría estar más feliz con la oportunidad de empezar de nuevo. Si ella me lo permite.

Saltan chispas cuando los dos se ven obligados a pasar tiempo juntos en una tormenta de nieve. Una noche podría ser suficiente para que estos opuestos se atraigan, ¿pero podrán sobrevivir a la intromisión de su madre?

Disponible aqui:

https://vestaromero.com/product/la-pelirroja-del-millonario/

Anhelo de un Multimillonario: ¿Lujuria o Amor?

Perderla no es una opción. Multimillonario se cruza con la que la vida ha golpeado.

Holden

Soy un multimillonario y una decisión de último momento de revisar una de mis propiedades antes de venderla me ha traído a Arelis Springs. Desde que me rompieron el corazón, evito acercarme a cualquier mujer. Solo quiero expandir mi imperio sin complicaciones.

Mi decisión está prácticamente tomada hasta que la conozco a ella. Kara, la mujer de curvas que da vuelta a mi mundo en un abrir y cerrar de ojos y me hace dudar de todo.

Quiero secar esas lágrimas y protegerla para siempre. Quiero que sea mía, y solo mía.

Kara:

He sido una esposa fiel durante muchos años. Ahora, he sido dejada de lado en favor de una amiga anterior. ¿Podré confiar en algún hombre nuevamente? Un encuentro accidental cambia todo.

Disponible aquí: https://vestaromero.com/product/lujuria-o-amor/

Vesta Romero escribe historias de amor sobre mujeres con curvas y los hombres que las aman.

Vive en España con su marido y su perro nacido en Texas. Cuando no escribe libros obscenos, le gustan los margaritas y las películas de acción. Le encantaría saber de sus lectores; ponte en contacto con ella en Tik-Tok, Twitter o Instagram.

Para estar al día de las novedades y ofertas especiales, suscríbete a su boletín a través del sitio web.

https://vestaromero.com

Las historias de Vesta son cortas, dulces, apasionadas y con un final feliz garantizado

Milton Keynes UK
Ingram Content Group UK Ltd.
UKHW010934231123
433129UK00001B/47